一般吃小籠包，多是在店家購買，很少自己製作，
就算製作也很難做出道地風味。
由於其製作過程略為繁複並有其獨特訣竅，
因此本社特別請到具有30年經驗的小籠師傅
與讀者共享此美味的祕密，公開小籠包的作法及訣竅，
並以分解動作，圖解流程，只要照著圖片及解說實地操作，
便能做出一籠籠道地又可口的小籠包了！

小 籠 包 製 作 流 程 圖

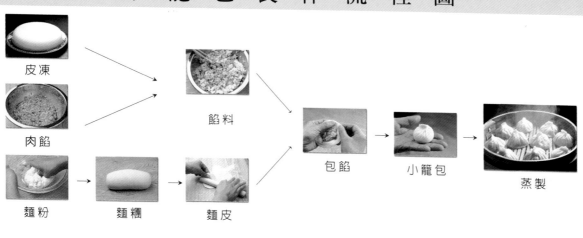

皮凍

肉餡

餡料

包餡

小籠包

蒸製

麵粉

麵糰

麵皮

★ 用很簡單的皮凍材料、絞肉和麵粉，經過幾道手續即可做出美味的小籠包。

目　錄

材料介紹

麵粉
是用小麥經過加工而製成,可分為高筋、中筋、低筋三種,小籠包的製作大多選用中筋麵粉。

酸粉
是由多種物質複合所製成,將酸粉和入麵糰再加熱後,其所含的物質互相產生化學反應並產生氣體而使麵糰膨脹。

奶油
主要分為動物性及植物性,有特殊香味,用途很廣,經常用於製作糕點、西菜中,可依各人需要及喜好選擇動物性、植物性或低脂的奶油。

絞肉
超市和傳統市場都有現成的絞肉,可以節省剁肉的時間。購買時以新鮮者為佳。

桂花醬
桂花醬是以白糖及桂花原料加工製成。具有天然芳香。甜蜜可口、色澤黃艷,主要是調香、增色作用,為製作糕點、飲料...等的重要調味品。

紫菜
又稱為海苔,是天然的健康食品,它含高蛋白、纖維質、脂肪含量又低。可用來作湯、捲壽司,或是做飯糰。

澄粉
是一種不含筋的麵粉用澄粉所製作出的糕點特色為半透明、色潔白、質感細滑,可用來製作水晶包、蝦餃…等。

乾酵母粉
為經過脫水的粒狀酵母,含水量低,不易酸壞,需用溫水較易溶勻。多用來製作生煎包、包子、饅頭…等麵糰。

**卡士達粉
(Custard powder)**
又稱克林姆粉、蛋粉、吉士粉,為白粉末狀,加水後會為乳黃色的黏稠狀多用來做為餡心,如:水晶包中的奶餡便是使用此粉。

米為主釀造而成的
如紹興、花雕、加
多地產的黃酒類，
濃度約16～18度左

牛奶
可增加點心的營養價
值，並具有獨特的乳
香味。使用時以鮮奶
為佳，但要注意保存
期限。

薑
是具有辛辣味的材料，
可以去除腥味，並使
菜餚增香，在中國菜
中是不可或缺的材料
。

麻油
又稱為芝麻油或香油，
是從芝麻提煉出來，
具有特殊的香味，可
使食物增香。

豆腐
用黃豆做為主原料，
有板豆腐和盒裝嫩豆
腐，其口感略有不同，
可依喜好來選購。

椒粉
胡椒的果實晒乾，
磨製成粉末狀，其
辛辣，且帶有香味。
分為黑胡椒和白胡
兩種。

洋菜粉：
是海藻石花菜的萃取
物，可用來製作糕點，
使糕點表面呈果凍狀。

豬油
從豬的脂肪而來，低
溫下呈凝膏狀，加熱
後即為液體狀。可從
超市買到現成品。

粉絲
又名冬粉，多以綠豆
為原料。選購時以細
長、色白、透明度高，
且較乾燥者較好。

雞蛋
新鮮的雞蛋營養價值
高，可增加香味及色
澤，常用於點心的製
作。

用具介紹

篩網
主要用途為過濾。可選擇不銹鋼製品,在烹調時是常會使用到的用具。

菜刀
廚房中絕不可缺少的用具之一。可以用來切斷食物,在烹飪中佔著重要的地位,越利的菜刀使用上也越方便。

免洗手套
烹調時常會使用雙手,作一些攪拌的動作,為了衛生起見,可戴上免洗手套來操作。

蒸籠
麵類點心製作時的重要用具,主要用途為蒸製。購買時以竹編或木製者較佳,蒸製時不易滴水。

打蛋器
在烹調或點心製作時,可以使攪拌的工作更快速、均勻。一般超市或商店均有販售。

秤
用來計算材料或調味料的重量,一般家庭烹調用的計量單位較小,可算出較精準的重量。

鉢
有玻璃或不銹鋼製品,開口較大,適合用來攪拌食物,和麵糰,在製作點心時常可使用到。

量杯
上有刻度標示容量,可用來量取材料如:水、油…等,通常也有大、小的尺寸之分。

紗布
用來舖蒸籠底,可防止小籠包和蒸籠沾黏。使用前需先以熱水燙過。可在西藥房買到。

擀麵棍
製作麵類點心的麵皮時,不可缺少的工具。最好選擇木質結實,表面光滑者,尺寸則可依個人喜好選擇。

小籠包

介紹小籠包的製作祕訣，讓您一次成功，做出道地的小籠包。

小籠包皮凍作法

「汁多味美」是上海小籠的獨特風味，製作皮凍，是使小籠餡心多汁的一大祕訣。以下所介紹的皮凍以豬皮凍為最傳統典型的作法，其它皮凍的作法可視個人的喜好選擇。

「皮凍」是小籠包湯汁的祕密

豬 皮 凍

材 料：

生豬皮..........500 克
蔥..............10 克
薑..............15 克

◆調味料：

黃酒 15cc、鹽、味精、胡椒粉適量

1

選用較厚的豬皮洗淨放入鍋中，加冷水（蓋過豬皮）開旺火，煮沸 2 分鐘左右。

2

將豬皮從鍋中撈出用水沖涼後，用刀切除附著的肥肉。

3

刮淨豬毛等雜物，再用水沖洗乾淨。

4

重新取鍋盛水 1500cc，放入洗淨的豬皮，加適量的蔥、薑、黃酒15cc、少許胡椒粉。

5

開旺火，煮沸後，轉用小火爛煮 90 分鐘左右，直至豬皮爛透。（可用筷子輕戳豬皮，能穿過即可）。

6

將煮爛的豬皮取出切塊。

7

再把切塊的豬皮切碎、剁碎。

8

將剁碎的豬皮粒放入原來的湯鍋中煮沸，加適量的鹽、味精，稍煮後，端鍋離火。

9

取湯篩放乾淨的盛器上，用勺將肉皮粒湯過濾到盛器中。

10

待盛器中的湯冷卻，即成皮凍。

11

將冷卻的皮凍倒出。

POINT

將完成的豬皮凍切成綠豆大小的粒，放入盛器中，置冰箱內備用。

雞 爪 凍

材 料：

雞爪.............500 克
蔥..............10 克
薑..............15 克
◆調味料：
黃酒 15cc、鹽、味精、胡
椒粉適量

1
將燙過的雞爪洗淨瀝水。

2
將洗淨的雞爪放入鍋內，
加水 1500cc、加蔥、薑、
黃酒、胡椒粉。

3
開旺火煮沸後，轉小火燜
煮 60 分鐘左右至爛，用筷
子或勺將煮爛的雞爪在鍋
內搗碎。

4
另取鍋，用湯篩將搗碎的
雞爪湯濾入。

5
開旺火煮沸，加鹽、味
精，稍煮後，端鍋離火。

6
將煮好的雞爪湯倒入盛器
內冷卻，即成皮凍。

7
將已冷卻的皮凍倒出。

雞翅洋菜凍

材 料：

雞翅．．．．．．．．．．．500克
洋菜粉．．．．．．．．．．．10克
蔥．．．．．．．．．．．．．．．10克
薑．．．．．．．．．．．．．．．10克
◆調味料：
黃酒15cc、鹽10克、味精
5克、胡椒粉適量

1

將買來的雞翅，從關節處
剁開，取其翅尖部位。

2

將雞翅尖燙過並洗淨瀝
水。

3

將處理好的雞翅尖放入鍋
內，加水1500cc、加蔥、
薑、黃酒、胡椒粉，在旺
火上煮沸。

4

煮沸後，轉小火燜煮至爛
透，用打蛋器或筷子將煮
爛的雞翅尖在鍋內搗碎。

5

另取鍋，用湯篩將搗碎的
雞翅尖湯濾入。

6

加鹽、味精及洋菜粉，煮
10分鐘後，端鍋離火冷卻
即可。

POINT

若想快速完成皮凍，可將
雞翅改成2塊雞湯塊與溶
好的洋菜粉一同煮沸後冷
卻，亦可作成皮凍。

蹄膀洋菜凍

材料：

蹄膀.............一隻
洋菜.............10克
蔥結.............10克
薑.............15克

◆調味料：
黃酒15cc、鹽10克、味精
5克、胡椒粉適量

1

將燙過的蹄膀洗淨放鍋
內，加水1500cc，加
蔥、薑、黃酒、胡椒
粉。

2

開旺火煮沸後轉小火燜煮
40分鐘左右至爛透，用
筷或勺將蹄膀肉在鍋內搗
碎後煮開。

3

另取鍋，放入洋菜，用湯
篩將搗碎的蹄膀湯濾入鍋
內。

4

開旺火煮沸後，轉小火將
洋菜煮化，再加鹽、味精
稍煮，端鍋離火。

5

倒入盛器內冷卻，將冷卻
的蹄膀洋菜凍倒出、切
粒、備用。

★冷卻後的皮凍，晶瑩剔透。

小籠包餡料作法

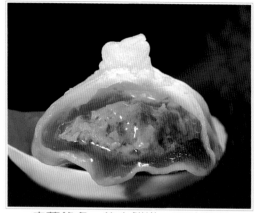

「鮮香、肉嫩、多汁」是小籠餡心的特色。以絞肉為主，加水和調味料用力攪拌上勁後，再加入皮凍製成肉餡。又可配以海鮮或蔬菜調製多樣的餡料。

皮薄餡多‧餡心鮮嫩‧湯汁滿溢

鮮 肉 小 籠 包

材 料（約80個份）：
胛心肉..........500 克
◆調味料：
蔥薑汁水200cc、鹽7克、味精5克、糖15克、醬油15cc、胡椒粉、豬油、麻油適量。

1
將洗淨的胛心肉剁碎。（也可使用現成的絞肉。）

2
將剁好的肉放入容器內。

3
加鹽、糖、味精、醬油及胡椒粉與肉拌勻。

4
加入少量蔥薑汁水拌勻（蔥薑汁水作法請參照 P. 15）。

13

5

蔥薑汁水分幾次摻入，順著同一方向攪勻。

6

攪至肉漿吃水充足，肉質起黏性。

7

再加入適量麻油拌勻即成鮮肉餡。

8

取與肉餡同等體積的皮凍粒，放入盛器中，加適量凝固豬油拌勻。

9

將鮮肉餡加入 8 料。

10

均勻地攪拌肉餡和皮凍。

11

攪拌後即成鮮肉小籠餡。（此為蟹粉、蝦肉、豆腐、芹菜小籠包之基礎餡，請看 P.17～P.22）

 **POINT**

只要材料比例適當，攪拌均勻，便可蒸製出餡心鮮嫩，湯汁滿溢的小籠餡。

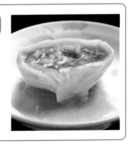

附・蔥薑汁水的作法

蔥薑汁水主要是利用蔥及薑所萃取出來的汁液和入餡料使之增香，是製作美味的鮮肉餡所不可或缺的祕訣之一。

材 料：
蔥 10 克、薑 20 克。

1 取刀拍薑。

2 將薑拍爛至圖示的程度。

3 將薑及蔥放入盛器中加入 200cc 的清水。

4 用手揉捏蔥、薑。

5 揉捏至蔥薑的汁液皆溶入水中。

6 取容器，用湯篩濾去蔥薑。

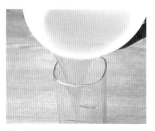

7 將蔥薑汁水倒入杯中。

8 完成。

蟹粉小籠包

材料：

大閘蟹............2隻
生薑末............3克
◆調味料：
豬油40克、鹽、味精適量

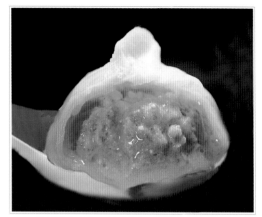

蟹鮮肉香・佐醋食之・別有風味

1

炒鍋燒熱，加入豬油、生薑末煸出香味。

2

倒入蟹黃，慢慢煸炒出蟹油。

3

再將蟹肉倒入一起煸炒，加鹽、味精，盛出冷卻。

4

取鮮肉餡（請參照P.13～P.14）和 3 料蟹粉比例為8：2放盛器中，將兩者拌勻，即為蟹粉小籠餡。

・陽澄湖・
大閘蟹的著名產地

曾有詩曰：「不是陽澄蟹味好，此生何必住蘇州！」。

位於蘇州的陽澄湖是養殖肥美大閘蟹的著名產地，陽澄湖水質潔淨，溶氧充沛，餌料豐富，非常適宜大閘蟹生長。每年中秋節後至農曆11月左右，為大閘蟹的盛產期。

這裡所產的大閘蟹其蟹黃香醇、肉質鮮美，為蟹中極品。

附・取蟹粉的方法

所謂蟹粉，就是把蟹黃、蟹肉放在一起，上海餐飲業內稱之謂蟹粉。

1 將洗淨的蟹用線繩綁住蟹腳。然後上籠蒸熟。

2 蟹蒸熟後，將線繩解開。

3 把蟹腳掰下。

4 剪去兩頭。

5 用麵棍將肉擠壓出來。

6 大的蟹腳輕輕敲碎骨，將肉剔出。

7 將蟹蓋翻出剔下附著的蟹黃，摘掉蟹胃。

8 將蟹身的蟹腮去掉，剁去反蓋，取出蟹黃。

9 用鐵棒或筷子剔出蟹腳根部的肉。

10 一邊剔取蟹肉，一邊可慢慢將蟹身掰成兩半。

11 用剪刀剪開蟹身。

12 仔細地將所有的蟹黃、蟹肉剔出。

蝦 肉 小 籠 包

材料：

蝦...............500克
蛋白............一個
太白粉..........適量
◆調味料：
鹽 4 克、小蘇打、味精、
胡椒粉適量

餡Q湯甜‧口感爽脆‧鮮味十足

1
左手拿洗淨的蝦，右手摘
掉蝦頭。

2
剝去中間一節蝦殼。

3
左手順勢在蝦尾處擠捏一
下，蝦仁即出。

4
將剝好的蝦仁放一盛器
內，加鹽、小蘇打和水，
攪洗至蝦仁變白發亮。

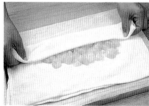

5
用清水漂洗蝦仁中的鹽份
及雜質，瀝乾，放在乾布
上。

6
用乾布將蝦仁包住以吸去
水分。

7

把吸乾水分的蝦仁放盛器內，加入蛋白、味精、胡椒粉、鹽調勻，再加入太白粉攪拌。

8

均勻攪拌至有黏性。

9

把上過漿的蝦仁拍爛剁成泥狀。

10

取鮮肉餡7分(作法請參照P.13～P.14)加上 **9** 料的蝦泥醬 3 分，拌成蝦肉小籠餡。

上海城隍廟的南翔饅頭店

南翔小籠饅頭又稱為南翔小籠包，是上海南翔鎮的傳統名點，已有百年多的歷史。現在上海市內城隍廟有開店，凡是到上海的觀光客，皆會來此品嚐這名聞遐邇，滋味鮮美的小籠包。此店專賣小籠包和蛋皮湯，整個城隍廟商場屬此家生意最興隆，每天人山人海，大排長龍，若想品嚐此道名點，最好趁早去才能一償宿願。

揚 州 冶 春 茶 社

揚州小吃以麵點聞名，當地居民多有吃早茶的習慣，除了茶以外，小籠包、三丁包、燙干絲等風味小吃皆是早茶中不可或缺的點心。「冶春茶社」是揚州有名的茶樓之一，位於揚州市的北邊。其所供應的小籠包子皮薄多汁，餡心滑嫩，若有機會到揚州，絕對不要錯過去茶社品嚐此名點的機會，亦可由此乘船漫遊瘦西湖的園林水景。

豆 腐 小 籠 包

材 料：

豆腐.............一盒
◆調味料：
鹽、味精適量。

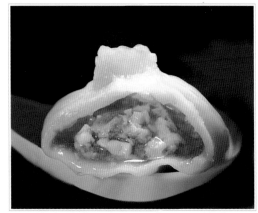

餡心滑嫩・爽口不膩・入口即化

◎豆腐餡和鮮肉餡，比例各佔一半。

2

用筷子把豆腐打碎。

3

取與豆腐等量的鮮肉餡（作法請參照 P.13～P.14）。

1

將豆腐放入碗中，加鹽、味精。

4

與豆腐拌勻，即成豆腐小籠餡。

芹菜小籠包

材 料：

芹菜..........100 克
◆調味料：
鹽、味精適量。

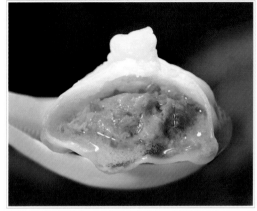

色澤翠綠·爽脆鮮甜·清香宜口

◎芹菜占三分之一，鮮肉餡占三分
之二比例。

1

將洗淨的芹菜切粒。

2

把芹菜粒放入盛器內，
加鹽、味精拌勻擠乾水
分。

3

取三分之二鮮肉餡（作法
請參照P.13～P.14）與三
分之一的芹菜粒放在容器
中。

4

將2種材料拌勻，即成芹
菜小籠餡。

小籠包麵皮作法

皮薄,包餡不裂的小籠皮胚,是用精製中筋麵粉,不經發酵,用水拌和並反覆揉搓而成的冷水麵糰製成,拌勻揉透並擀成中間厚,周邊薄的麵皮是關鍵所在。

和　麵

1
取中筋麵粉 250 克,倒入容器內,中間扒一小窩加冷水 120cc。

2
用筷子攪拌均勻。

3
右手五指張開,從外向內,進行調和,麵成雪片後,再摻適量的水,和在一起。

4
揉成麵糰。

5
將外型略微整理。

將麵糰置於容器中,用保鮮膜封口(或用乾淨濕布蓋上)約 10 分鐘左右。

揉　麵

1

揭去保鮮膜。

2

取出已醒的麵糰，放桌上。

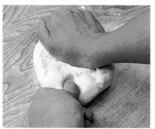

3

用右手掌跟壓麵糰。

4

用力伸縮向外推動，把麵糰攤開，疊起。

5

再攤開、疊起，反覆搓揉，直至麵糰光滑和潤。

搓　條

1

將光滑和潤的麵糰，用刀切下一塊。

2

如圖。

3

用兩手將麵塊折疊。

3

將乾麵粉與小麵糰和勻。

4

雙手掌攤壓麵塊上，來回推搓，邊推邊搓，邊向兩側延伸，成為粗細均勻的圓形長條。

4

將其切口朝上，用手掌跟（不能用掌心）向下按扁拍平。

切 小 段

擀 皮

1

將長圓條放麵板上，分切成平均為 1 0 克的小麵糰。

1

左手捏住拍平的麵皮。

2

取少量乾麵粉撒上。

2

右手用擀麵棍向外推。

3
右手擀麵棍拉回同時，左手以逆時鐘方向轉動麵皮。

4
再用擀麵棍向外推。

5
重覆 3,4 項的動作。

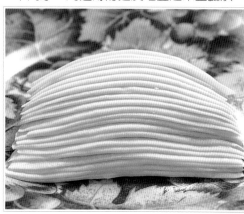

6
擀皮時，右手用力適中，前後左右推拉一致。

7
擀成中間稍厚周邊圓薄，7cm 左右的圓皮狀。

★中間厚，周邊薄的麵皮堆疊起來呈弧狀。

POINT
錯誤的擀皮
不能雙手用擀麵棍在麵皮上來回，這樣擀成的麵皮不是中間厚，周邊薄，而是中間薄，周邊厚。

小籠包的包餡法

包餡即是在麵皮中間放上餡心，並將它包好的過程。小籠包的包法為提摺類包法，因其餡心較大，提摺成圓形，所以餡心要盡量放在麵皮正中心位置。

4
開始打摺。

1
將擀好的麵皮放在手上，手指向上彎曲成窩狀。

5
將摺黏合。

2
取15克左右的肉餡放在麵皮上攤平。

6
右手邊打摺，左手邊自然地將麵皮慢慢轉動。

3
左手的拇指放在麵皮的邊緣，右手拇指、食指、中指成三角狀捏住麵皮邊緣。

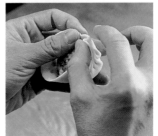

7
小心的重覆 6 項的打摺動作。

8

在打摺時，注意不要將肉餡擠出，儘量保持在麵皮的中心位置。

9

一般包小籠包的摺數約為20個左右。

10

把肉餡全部包入麵皮內，開始封口。

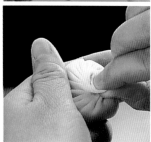

11

將封口處黏合。

12

完成。

13

蒸製完成的小籠包。
（蒸製法請參照P.30～P.32）。

P O I N T
錯 誤 的 包 餡

A.將放有肉餡的小籠麵皮放在左手虎口隨意聚攏。　B.右手隨意捏緊麵皮。

★A、B項的包餡法不僅難看又易露餡穿底。

蒸籠舖底與蒸製

蒸籠舖底可防止小籠包黏在蒸籠上。舖底所使用的材料有：大白菜葉、高麗菜葉、紗布、青菜葉、油紙....等。舖底方式有整面舖底及個別舖底。

高 麗 菜

1
高麗菜切半。

2
剝下 2～3 片葉子，順菜梗處縱切成半。

3
將菜梗切除。

4
起鍋加水煮沸，放入處理好的高麗菜。

5
略燙過即可撈起。

6
準備乾淨的蒸籠，舖上燙過的高麗菜。

7
舖滿整個蒸籠，並修飾形狀。

紗 布

1
起鍋加水煮沸，放入乾淨的紗布。

2
將紗布略微煮過。

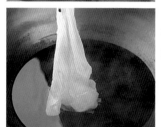

3
把煮過的紗布撈起。

4
舖在乾淨的蒸籠上。

5
將多餘的紗布沿蒸籠的圓邊修剪掉。

大 白 菜

1
大白菜葉放沸水鍋中燙過。

2
將燙過的大白菜葉放砧板上，用圓形壓模放白菜葉上用勁按下，並稍旋即成舖底。

3
把壓好的白菜葉逐個舖上蒸籠。

青　菜

1
將青菜葉(不用燙過)放砧板上,用圓形壓模壓出圓形。

2
逐個放蒸籠上排好。

油　紙

1
將油紙裁成約為5cm × 5cm大小的正方形。

2
放蒸籠上排好。

上　蒸　籠

1
取鍋放半鍋水燒沸。

2
取一空籠墊底下,以防沸水浸濕小籠包生坯。

3
水沸,將盛有小籠包生坯的蒸籠放空籠上。

4
蓋上蒸籠蓋,旺火蒸5·6分鐘即好。

小籠包沾料與吃法

剛出籠的小籠包配上薑絲及香醋同食，可謂滋味鮮美、滿口生津，口感更清爽，有提振食慾的效果。

薑絲的作法

材料：
薑．．．．．．．．．．．．．一塊

1
薑洗淨，切長塊並將外皮去掉。

3
將薑塊批成薄片。

4
切絲。

5
用淨水漂清即可。

6
剩餘的薑可浸在放有少量明礬的淨水中備用。

7
食用時，可將薑絲及醋放在小碟中沾食。

附・小籠包的吃法

1 輕輕地用筷子將小籠包挾起,放在湯匙上。

2 將薑絲沾上香醋。

3 把沾了香醋的薑絲和小籠包放在一起。

4 吃的時候連薑絲和小籠包一起吃。

5 湯匙上會留下一些小籠的湯汁。

6 最後,可以慢慢品嚐小籠鮮美的湯汁。

・關於小籠包・

「小巧玲瓏,皮薄餡嫩,入口一包湯。」這是小籠包的特點所在。在淮揚地區,小籠包為各地的名點,但以上海的「南翔饅頭」最為著名。在上海,小籠包被稱為「饅頭」,它始於上海嘉定縣南翔鎮。清同治年間,鎮上一名點心店的陳和師傅,首創了一種皮薄餡嫩、湯汁多的小籠饅頭。這種饅頭可在店內食用,也可外賣,生意興旺,很快便聞名於嘉定城,因始於南翔鎮,故稱「南翔饅頭」。

在20年代初期,一位吳姓經營者,首先在上海城隍廟的船舫廳開設了「長興饅頭店」(也就是現今上海城隍廟的「南翔饅頭」),專賣皮薄餡嫩、湯汁滿溢的南翔饅頭,很快地便遠近馳名。而後來開設的「古猗園點心店」專賣南翔饅頭,亦受到大眾的喜愛。

「南翔饅頭」百年來一直享有盛名,稱為「極品名點」實不為過。

水 晶 包

如何做出晶瑩飽滿的水晶包？本章教您甜餡及透明麵皮的做法。

水晶包餡料作法

本章所介紹的水晶包餡料，以甜餡為主，甜餡製作過程較為複雜，難度較高，需做出甜度適當、甜而不膩的口感。甜餡一般含水量較少，故可保存較長時間。

沙質細膩・純滑細潤・甜香可口

豆 沙 水 晶 包

材 料（約100個份）：

紅豆............500 克
桂花醬............少許
◆調味料：
糖 500 克、油 100cc
（以上材料可減半製作。）

2
將爛爛的紅豆倒出瀝水。

3
盆中放大量冷水，用湯篩洗擦去紅豆外皮成為豆沙。

1
將紅豆洗乾淨，放入裝滿冷水的鍋中，用大火煮沸後，以小火燜燒。

4
將盆中豆沙倒入布袋裡。

5

仔細地瀝去布袋中的水分。

6

將瀝乾水的豆沙倒出，裝入碗中。

7

炒鍋放油，加糖、豆沙一起炒熱。

8

不停地將豆沙翻炒均勻，使水分逐漸蒸發。

9

待豆沙轉色成厚糊狀時，加入桂花醬拌勻。

10

盛入盛器內冷卻待用。

★蒸製完成的豆沙水晶包。

（麵皮、包餡及蒸製請參照 P.40 ～ P.42）

奶黃水晶包

材 料(約35個份)：
蛋...............3個
澄粉...........50克
卡士達粉.........適量
牛奶...........130cc
◆調味料：
糖200克，油50cc（最好
用奶油）。

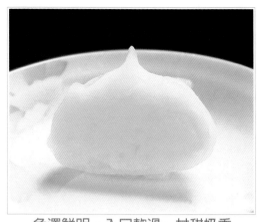

色澤鮮明、入口軟滑、甘甜奶香

1
將蛋打入盆中，加入糖、
澄粉、卡士達粉、牛奶和
油。

2
用打蛋器仔細地將上述材
料調勻。

3
調勻後的奶黃液上籠蒸，
每隔10分鐘，將附在盆邊
上的凝固部分刮下，攪拌
均勻。

4
邊蒸邊攪，約蒸30分鐘左
右，攪成的糊狀奶黃便成
了奶黃餡。

★蒸製完成的奶黃水晶包。

（麵皮、包餡及蒸製請參照P.40～P.42。）

翡翠水晶包

材 料(約6個份)：
青江菜(去梗).....500克
◆調味料：
糖粉25克、豬油15克、鹽適量。
(喜歡吃青菜的話，可用2或3倍的量來製作。)

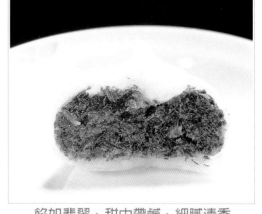

餡如翡翠、甜中帶鹹、細膩清香

1
將洗淨的青江菜放滾水鍋中煮。

4
將青菜末倒入盛器中，加糖粉、豬油、鹽拌勻即可。

2
青菜撈起瀝水後，放砧板上剁成細末。

★蒸製完成的翡翠水晶包。

3
用乾淨布包住青菜末，並壓乾水分(菜末約有30克)。

(麵皮、包餡及蒸製請參照P.40～P.42)。

水晶包麵皮作法

「半透明、色澤潔白而柔細」是水晶包麵皮的特色，其透明的祕訣就在於「澄粉」。將澄粉以熱水燙熟、拌和、搓揉，製皮後再配以各種餡料，就成了精緻可口的水晶包。

3
單手在盛器內，由外向內，調和成粉糰。

和　麵

1
將100克的澄粉、25克的太白粉及少許鹽放入盛器拌勻。

2
加沸水150cc左右沖入調和。

揉　麵

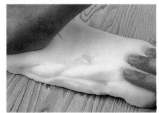

1
將調和的粉糰，放桌上揉勻。

2
揉勻後，再加少許豬油揉勻。

3
重覆上述動作，直到粉糰表面光滑為止。

搓　條

1
將光滑的粉糰，用手捏下一塊。

2
把粉糰整理成條狀。

3
雙手手掌來回推搓，往兩邊延伸，搓成粗細均勻的長條。

切　小　段

1
用刀將長條形粉糰切成一個個的小段（各約１０克）。

2
取少量澄粉撒在小段上拌勻，將小段的切口朝上，以手掌跟按壓拍平。所有的小段都依上述方法按成扁平狀。
注意！不要用掌心去按。

擀　皮

1
一手捏住按平的小段，另一手以擀麵棍向外推拉。

2
擀麵時要注意用力適當，前後左右推拉一致。

3
最後要擀成中間厚，周圍薄的麵皮。

水晶包的包餡

1
手指向上彎曲成窩狀，放上麵皮。用刮板取約15克的餡，放在麵皮上。

2
拇指和食指捏住麵皮邊緣，中指抵在麵皮反面，打出一個摺。

3
一邊打摺一邊轉動麵皮。

4
持續打摺的步驟，直到餡料完全包入麵皮內。

5
最後以食指和拇指收捏封口。

水晶包的蒸製

1
蒸籠內的水燒開，放上包好的水晶包。

2
用旺火蒸3分鐘，再以小火燜1分鐘即熟。

淮揚湯包

「淮揚湯包」餡多汁濃，本章公開美味的關鍵--「湯包餡」的作法。

淮 揚 湯 包

「皮薄透明，餡多汁濃」的淮揚湯包，係江蘇省地方傳統風味名食，它出自清代揚州麵點師的發明，用凝固的肉汁製作湯包，為餡心的鮮美作出了重要貢獻。

皮薄餡香・鮮嫩滾燙・汁多腴美

※本書介紹兩種餡料的作法，任你選擇。

淮揚湯包餡料的作法（一）

材 料（約25個份）：
豬蹄膀（前蹄）.....一隻
母雞..............一隻
雞爪...........500克
蔥...............10克
薑...............15克
◆調味料：
黃酒 15cc、胡椒粉、鹽、味精適量

1
將汆燙過的蹄膀、雞和雞爪放入鍋中，加水2000cc，下蔥薑、黃酒、胡椒粉，以旺火燒沸轉小火燜爛。

2
取出燜爛的蹄膀、雞和雞爪。先將蹄膀的皮及雞爪，置於一旁備用。

3
將蹄膀肉、雞肉取下，切成粒，放盛器中待用。

4
再將蹄膀皮、雞爪切碎搗爛後，放原湯鍋中熬製。

5

待湯濃後，用湯篩濾去雞爪和湯渣。

6

將濾過的濃湯，加入蹄膀和雞肉粒燒沸。

7

加入鹽、味精稍煮一會，端鍋離火。

8

將煮好的湯倒入另一盛器冷卻。

9

冷卻後的湯凍。

10

把冷卻的湯凍倒入盛器內，搗碎攪勻成餡。

★淮揚湯包是一個湯包放一個小蒸籠。

（麵皮、包餡及蒸製請參照P.47 ）

淮揚湯包餡料的作法（二）

材 料（約25個份）：
豬蹄膀（前蹄）.....一隻
母雞.............一隻
雞翅...........500克
洋菜粉...........15克
蔥、薑........各15克
◆調味料：
黃酒15cc、胡椒粉、鹽、
味精適量

1
將汆燙洗淨的蹄膀、雞和雞翅放入鍋中加水2000cc，下蔥、薑、酒、胡椒粉，旺火燒沸，轉小火燜燒。

2
取出燜爛的蹄膀、雞和雞翅。

3
將蹄膀肉、雞肉取下，切成粒，放盛器中待用。

4
將切剩的雞翅、雞骨…等搗爛後，放湯鍋中再熬製。

5
待湯濃後，用湯篩濾去雞翅、骨等湯渣。

6
將已濾好的濃湯，加入 3 料的肉粒及雞肉粒燒沸。

7
加鹽、味精、洋菜粉煮10分鐘後，端鍋離火。

8

將煮好的湯倒入另一盛器內冷卻。

9

冷卻後的湯凍。

10

用手捏碎攪勻成餡。

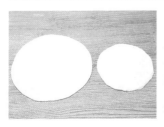

淮揚湯包麵皮的作法

1

作法同小籠（請參照P.24～P.27），擀成10cm左右的圓皮（20克左右）。圖左為淮揚湯包之麵皮，右為小籠包麵皮。

淮揚湯包的包餡、蒸製

1

用刮板取約30克的餡，放在麵皮上。

2

和小籠的包餡法一樣，以連續打摺的方式將餡完全包住。（作法請參照P.28～P.29）

3

將包好的淮揚湯包，放入已鋪底的小蒸籠（直徑約9cm），再用大蒸籠蒸製。

4

水滾後將蒸籠放入，同小籠的蒸製法一樣，5·6分鐘即好。

附 · 淮揚湯包的吃法

（一）一般吃法

1 挾住湯包頂端，慢慢提起。

2 將湯包放在小盤上。

3 輕輕地咬開湯包並吸吮湯汁。

4 接著就可以開始品嚐湯包。

（二）吸管吃法

1 用吸管插入湯包，慢慢地吸乾湯汁。

2 湯汁吸完後，即可用筷子食用。

· 關於淮揚湯包 ·

「輕輕提、慢慢移、咬個洞、先吮湯、後吃皮」

　　以上為淮揚湯包吃法口訣。由於淮揚湯包內的湯汁溫度很高，吸吮湯汁時不能太急以免燙到。

　　淮揚的包子對餡心非常講究，清代最著名的包子便是〝灌湯包子〞。根據《邗江三百吟》〝灌湯包子〞條之引言〝春秋冬日，肉湯易凝。以凝者灌於羅磨細麵之內，以為包子，蒸熟則湯融不泄。揚州茶肆，多以此擅長。〞詩云：〝到口難吞味易嚐，團團一個最包藏。外強不必中乾鄙，執熱須防手探湯。〞

　　中國包子起源於五代。宋代後發展較快，但最早關於湯包的詳細記載，以《揚州畫舫錄》、《邗江三百吟》最為豐富，因此湯包可說是揚州廚師之首創。

生 煎 包

生煎包香中帶酥脆的口感讓您品嚐美味。本章教您「煎烙」的祕訣。

生 煎 包

生煎包，也就是一般所稱的「水煎包」，是用精製的中筋麵粉，經過發酵後，揉搓、製皮、包餡、煎製而成。它不但具有底脆、餡鮮、皮薄的特點，更是美觀易做。

皮Q餡鮮‧底部酥脆‧蔥香四溢

生煎包餡料的作法

生煎包餡與小籠包餡大致相同（請參照P.13）但在最後步驟要加上蔥花拌勻。一個生煎包約需20克的餡料，若想做30個，則需準備600克的餡料。

1

絞肉內加入鹽、糖、味精、醬油、胡椒粉拌勻。

2

加入蔥薑汁水，用手仔細攪拌，分次將蔥薑汁水慢慢加完，並拌勻。

5

取出和肉餡等量之皮凍粒，先與豬油拌勻，再將肉餡加入，攪拌均勻。

6

最後再放入蔥花攪拌即成。

生煎包麵皮的作法

1
將麵粉 250 克、發酵粉 2
克、乾酵母粉 2 克放入盛
器內。

2
把上述材料攪拌均勻。

3
溫水 130 cc 左右分次加入
盛器內。

4
仔細地將水和麵粉拌勻。

5
用手將麵粉揉成麵糰。

6
將麵糰揉成光滑表面。

7
用刀切下一塊麵糰，搓成
長條狀。

8
將麵糰分成 30 克左右的
小段，擀成直徑 7 cm 左右
中間厚周邊薄的圓皮。

包 餡

1
用刮板取15～20克的餡放在麵皮上，開始打摺。

2
摺至餡料完全包入麵皮中，再收口捏緊。

3
所有的麵皮包成一個個的生煎包。

4
準備蔥花、黑芝麻、麵糊各一碟。

5
將包好的生煎包尖端沾上麵糊（作法請看此頁下方）。

6
再沾上黑芝麻或是蔥花點綴。

POINT
麵 糊 的 作 法

1.先將麵粉倒入碗，加水攪拌，必要時可再加水。

2.持續攪拌至呈均勻的糊狀之後，再倒入小碟中。

煎　製

1
取平底鍋燒熱滑油。

2
鍋內放少許油，將生的生煎包放入，以中火稍煎製。

3
煎至生煎包底部微黃。

4
加入少許水。

5
加蓋以大火燒開，轉中火。

6
將水煮乾後即可揭開鍋蓋，淋入少許油，待生煎包麵皮發泡、底部金黃發亮，即起鍋食用。

湯

吃麵點配碗湯，不僅清湯潤口、營養豐富，而且符合於乾濕搭配，味覺調和，又能增加飲食氣氛。

豆腐軟糯·細粉爽口·淡雅清鮮

油豆腐細粉湯

材 料：

1/4盒豆腐（也可用現成的油豆腐）、粉絲25克、青江菜3株。

◆調味料：

鹽、味精、胡椒粉適量、雞湯750cc、油100cc（實耗25cc）

1
炒鍋燒熱加油至5成熱，下切好的豆腐塊，炸至金黃色撈出瀝油。

2
取雞湯放鍋中燒開，將炸黃的豆腐塊剪小口放入，再加鹽、胡椒粉。

3
燒沸後，用小火燜煮2分鐘，加粉絲、青江菜、味精。

4
再略煮一下即成。

酸 辣 湯

材料：

豆腐絲 75 克、雞血絲 30 克、香菇絲15克、筍絲15克、肉絲 10 克、火腿絲 5 克、雞蛋一個、蔥花（不放雞血亦可）。

◆調味料：

香醋、鹽、味精、胡椒粉、太白粉適量、高（鮮）湯 750cc。

湯汁香濃・料鮮味美・酸辣開胃

1
將肉絲用鹽、太白粉上漿後放入煮沸的湯中划散。

2
將香菇絲、筍絲、火腿絲先放入湯中煮。

3
再將豆腐絲、雞血絲放入，加蓋燒沸，加適量鹽。

4
太白粉和水調和後加入鍋中勾薄芡。再下攪勻的雞蛋輕推幾下形成蛋花，加入味精。

5
取碗，放入香醋、胡椒粉、蔥花。

6
將煮沸的湯沖入碗中，輕攪幾下，即可食用。

紫菜蛋皮湯

材 料：
紫菜25克、雞蛋一個、蔥花適量。

◆調味料：
麻油、鹽、胡椒粉、味精適量、高湯750cc、油100cc（實耗5cc）

蛋絲金黃．紫菜營養．清香爽口

1
炒鍋燒熱加油滑鍋倒去多餘的油，下打散調勻的雞蛋。

2
用小火慢慢煎製成蛋皮。

3
將蛋皮切絲。

4
紫菜撕成小塊與蛋絲、蔥花一起放入碗中備用。

5
高湯加鹽、味精、胡椒粉煮沸後沖入碗中，最後滴上麻油即可食用。

Q & A

皮 凍

Q：皮凍的作用為何？

A：放皮凍的目的是為了可以增加湯汁。

Q：剩下的皮凍需要冷藏或冷凍？可放多久？

A：冷藏或冷凍均可。冷藏可放2-3天，冷凍則可放數月左右，用時需再煮化，冷卻成凍。

Q：四種皮凍吃起來的特色、味道有何不同，會不會影響蒸的時間？

A：雞爪凍與豬皮凍較蹄膀洋菜凍好吃，蹄膀洋菜凍又較雞翅洋菜凍好吃，四種皮凍對蒸製時間並無影響，蒸製主要是為了肉與皮熟，與凍無關，加了洋菜的凍必須儘快趁熱吃，因湯汁較容易凝固。

Q：不同的皮凍和不同種餡如何搭配最好吃？

A：皮凍與餡的搭配並無限制，視個人的喜好與方便。

小 籠 餡

Q：豬肉的肥瘦比例是多少，最好使用哪個部位的豬肉？

A：肥30%,瘦70%的胛心肉。

Q：豬肉要切至多碎？

A：豬肉要斬至肉漿狀。

Q：皮凍內為何放入豬油，不放豬油可否改放植物油？

A：皮凍內放豬油可增加黏度，不可用植物油替代。

Q：餡料中糖若太多，可減量至幾克？

A：依個人口味增減，糖可減至到不放。

Q & A

Q：在製餡的過程中，以同一方向攪拌至何種程度為上勁？約拌幾分鐘？

A：肉餡同一方向攪拌至肉漿水份吃足有黏度，用手掌拍之掌心似有股吸力，時間視用力大小和肉漿多少而定。上勁完成時，肉漿會黏附在掌心上。

Q：加入皮凍的比例多或少時，會有何影響？

A：皮凍比例根據需要，喜歡湯汁多時便多放，不喜歡太多湯汁時就少放，多放皮凍時要考慮麵皮厚薄，載重量會不同。

Q：蝦肉小籠的材料用何種蝦最好（草蝦、海蝦…）？大小如何？

A：最好選用河蝦，較鮮，大小皆可。

Q：蝦肉小籠可否用新鮮蝦仁或超市的蝦仁？

A：用鮮蝦仁與超市蝦仁都可以。

Q：翡翠小籠的青菜用何種最好？

A：本書翡翠小籠所用的青菜為青江菜，但其它青菜亦可，可視個人喜好挑選。

小 籠 麵 皮

Q：為何用中筋麵粉，用低筋或高筋時會如何？

A：中筋麵粉較折衷，低筋麵粉不易包，高筋麵粉也可做。

Q：和麵時要用冷水，或溫水？

A：冷水、溫水都可以。

Q：用剩之麵皮可以放多久，要冷凍還是冷藏？如何保存麵糰？

A：麵皮不可放久，只可冷藏一天，因時間長會變色、變黑，麵糰可用保鮮膜包好冷藏。

Q：可否用水餃皮代替？

A：水餃皮太硬，不易包。

Q & A

小籠蒸製

Q： 小籠蒸製過程中，最常失敗在哪幾個步驟？

A： 一是蒸製過度，湯汁減少。一是蒸製不足，夾生不熟。

Q： 小籠包封不封口有何差別？

A： 封口不易流汁，蒸得稍微過度，湯汁不易冒出。

Q： 蒸籠鋪底時用菜和紗布有何差別？

A： 紗布鋪底，時間稍長的話，易黏住，菜葉有蠟質，不易黏住。

Q： 皮和餡剩餘時，是先包成小籠包再冷凍，還是分開冷凍再包？餡可放多久？

A： 應分開冷凍食用前再包，餡約可冷藏 2-3 天，冷凍可放一週。

小籠食用

Q： 最好吃的小籠食用時間是上桌的哪段時間最佳？

A： 上桌 10 分鐘之內食用最好。

Q： 冷掉的小籠可以再蒸嗎？如何蒸？

A： 冷了可以再蒸，照原方法蒸，只是沒有湯汁了。

Q： 以何種醋搭配食用最好？

A： 醋有香醋、紅醋。紅醋較酸，顏色較淡，以個人口味而定。

Q： 搭配食用的生薑絲用嫩薑或老薑？

A： 嫩薑較好吃，好切，但食用蟹粉小籠最好是冬薑，去寒性強。

淮揚湯包

Q： 冷的淮揚湯包可否重蒸再吃？

A： 可以。方式同小籠包。

Q & A

Q：皮的厚度同小籠包或更厚？
A：皮較小籠包稍厚，載重量大。

生 煎 包

Q：和麵時加冷水可以嗎？
A：和麵時可以加冷水。

Q：煎製時加入少許水是要放多少？約
　　為生煎包的幾分之幾？
A：水為生煎包的3分之1或4分之1。

Q：如何知道熟了沒？
A：看生煎包的封口有無湯汁溢出，如水未
　　乾，可倒去水，加些油。蓋上鍋聽到爆
　　聲即熟。

Q：可否用炒鍋煎製？
A：可用炒鍋，只是生煎包的數量要少一
　　點。

Q：剩的生煎包冷後如何食用最好？
A：剩的可用微波爐熱，也可再煎製但無湯
　　汁。

Q：可否先包好冷藏，要食用時再取出
　　煎熟？
A：可以，但煎製時須先解凍。

油 豆 腐 細 粉 湯

Q：可否使用現成油豆腐？
A：可以，用淡鹼水漂洗乾淨再做。

蛋 皮 湯

Q：怎樣才算是好吃的蛋皮湯？
A：湯料要好。

Q：蛋皮是否越薄越好？火力要用多
　　大？
A：蛋皮的厚薄只是外觀問題，不影響
　　吃。鍋燒熱，擦點油，拿起鍋用餘熱
　　使蛋液成形，再用小火烘熟，翻身煎
　　黃即可。